Publié par Saunders Book Company,
27 Stewart Road, Collingwood, ON Canada L9Y 4M7

Conçu par The Design Lab
Édité par Joe Kahnke
Direction artistique : Rita Marshall
Traduit de l'anglais par Anne-Sophie Seidler
Imprimé aux États-Unis

Catalogage avant publication de Bibliothèque et
Archives Canada

Bodden, Valerie
[Crabs. Français]
      Le crabe / Valerie Bodden.

(Planète animaux)
Traduction de : Crabs.
Comprend des références bibliographiques et un index.
ISBN 978-1-77092-372-0 (relié)

      1. Crabes–Ouvrages pour la jeunesse. I. Titre.
II. Titre: Crabs. Français.

QL444.M33B6414 2016   j595.3'86
C2016-900403-1

Photographies : Alamy (Mark Conlin, Leonid
Serebrennikov), Corbis (Christophe Courteau/Water
Rights, Jeffrey L. Rotman), Dreamstime (Yap Kee Chan,
Julia Freeman-Woolpert, Piccaya, Kseniya Ragozina,
Oleg Sidashin, Sergey Uryadnikov, Wisiel), Flickr (Bill
Bumgarner), Shutterstock (indigolotos, Beverly Speed)

9 8 7 6 5 4 3 2 1

PLANÈTE ANIMAUX

LE CRABE

VALERIE BODDEN

SAUNDERS
BOOK COMPANY

Le crabe est un crustacé. Les crustacés possèdent une carapace dure et vivent dans l'eau. Il existe plus de 6 700 espèces différentes de crabes dans le monde!

Le crabe maigre vit dans l'océan Pacifique.

Le corps plat d'un crabe est recouvert d'une protection appelée carapace.

La carapace d'un crabe recouvre son corps large et plat. Le crabe possède 10 pattes. Les deux premières sont des pinces destinées à tenir les **proies**. Certains crabes sont bruns ou gris. D'autres ont des couleurs vives comme bleu, rouge ou jaune.

proie animal qui est tué et mangé par un autre animal

Les plus petits crabes sont aussi petits qu'une araignée, tandis que les plus gros ont un corps de la taille d'un ballon de soccer. Leurs pattes peuvent atteindre 3,7 mètres de long (12 pi)! Ils peuvent peser jusqu'à 18 kilos (40 lb).

Le crabe araignée géant du Japon est le plus grand crabe au monde.

*Le crabe arlequin (page précédente)
vit à l'intérieur du concombre de mer,
un animal vivant au fond des océans.*

La plupart des crabes vivent dans l'**océan**. Certaines espèces vivent dans des eaux profondes et froides, tandis que d'autres vivent le long des plages bien chaudes. Certains crabes vivent dans les rivières et d'autres vivent sur la terre ferme.

océan immense et profonde étendue d'eau salée

Ce crabe rouge Sally-pied-léger se sert de ses pinces comme de doigts pour manger le poisson.

Le crabe mange de tout. Ses plats préférés sont les **moules**, les escargots, les poissons, les vers et les **insectes**. Certains crabes mangent également des algues, des fruits ou des feuilles.

insectes petits animaux dont le corps est composé de trois parties et qui possèdent six pattes

moules petits animaux au corps mou (mollusques) qui vivent dans l'eau et qui possèdent une double coquille

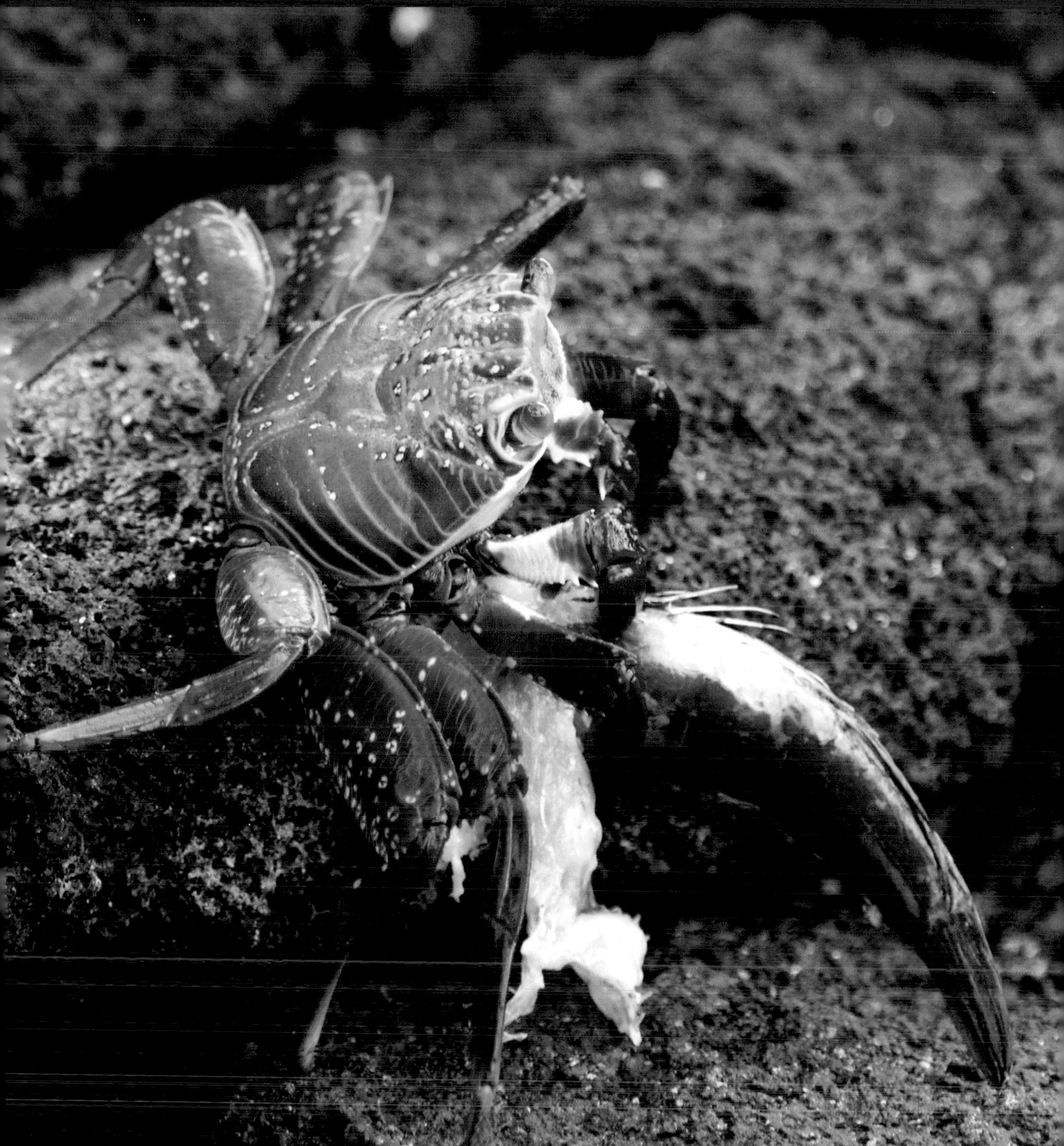

Les œufs d'un crabe femelle ressemblent à une grosse éponge en dessous de son corps.

Le crabe femelle pond des milliers ou des millions d'œufs. Une fois sorti de l'œuf, le crabe est d'abord une **larve** sans pattes. La larve grandit et perd sa carapace, mais une carapace plus grande lui pousse. Après avoir ainsi perdu plusieurs carapaces, des pattes lui poussent. Il ressemble alors à un crabe adulte. Certains crabes ne vivent que quelques années, mais les plus gros crabes peuvent vivre jusqu'à 100 ans!

larve forme que prennent certains animaux en sortant de l'œuf avant de devenir adultes

Généralement, le crabe marche de côté.

Il est capable de marcher sur la terre ou au fond de l'eau. Les crabes qui passent beaucoup de temps sur la terre ferme courent vite. Certains crabes sont également bons nageurs.

Le crabe replie ses pattes vers l'extérieur, ce qui le fait marcher de côté.

Un trou sur la plage (ci-contre) ou sous l'eau (page précédente) constitue une cachette sécuritaire.

Pour se protéger des **prédateurs**,

le crabe doit se cacher. La plupart des crabes creusent un gros trou dans le sable ou la vase pour se cacher. Mais certains se camouflent en recouvrant leur carapace d'algues, d'**éponges** ou de morceaux de bois.

prédateur animal qui tue et qui mange d'autres animaux

éponge animal marin dont le squelette est rempli de trous

Certaines personnes ont chez eux des crabes comme animaux domestiques. D'autres vont en observer en liberté sur les plages ou dans des zoos. Ces petits animaux qui marchent de côté sont vraiment amusants à regarder!

Ce petit crabe s'est glissé dans le chapeau d'une personne à la plage.

Une histoire de crabe

Pourquoi est-ce que les crabes ne semblent pas avoir de tête? En Afrique, on raconte une légende à ce propos. On raconte qu'un créateur a créé tous les animaux. Il fit le corps du crabe, mais dit à celui-ci de revenir le lendemain pour qu'il lui finisse la tête. Le crabe se vantait qu'il allait recevoir la plus belle tête. Cela mit le créateur en colère. Pour le punir, il décida finalement qu'il n'aurait pas de tête du tout.